D1432724

Jordi Sierra i Fabra

Cuentos cortos de ANIMALES EN PELIGRO

Bruño

Juan Ignacio Luca de Tena, 15
28027 Madrid
www.brunolibros.es

Dirección Editorial: Isabel Carril
Coordinación Editorial: Begoña Lozano
Edición: María José Guitián
Diseño de cubierta: Óscar Muinelo
Diseño de interiores: Equipo Bruño
Preimpresión: Alberto García
Fotografías: Shutterstock
ISBN: 978-84-696-0791-6
Depósito legal: M-28251-2016
Printed in Spain

Pingo,
el pingüino

Los pingüinos se movían siempre siguiendo una lógica. Nadaban juntos, caminaban juntos y se protegían juntos, sobre todo en los temporales de nieve que azotaban el polo. Entonces formaban una piña para darse calor. Los que quedaban primero en el exterior pasaban luego al interior y otros tomaban el relevo. Así sobrevivían.

Y lo más importante, desde luego, eran sus crías.

Cuando aparecía un huevo, el pingüino responsable se ponía encima y no se movía aunque el cielo se le cayera sobre la cabeza. Por eso todos sabían que cuando uno de ellos estaba más tieso que un palo, era porque incubaba el huevo del que luego saldría una hermosa cría.

Pingo todavía no había tenido esa responsabilidad. Era joven, alegre, dispuesto a la aventura y a investigar los hielos en los que vivía. Le encantaba nadar, comer peces y ver las esculturas que se formaban con las nevadas.

Por eso no siempre iba con los demás.

—Un día te meterás en un lío —le decían.

—Mira que las orcas cada vez son más osadas: salen del agua y nos pillan incluso en el hielo —le decían.

—Te vas a perder en medio de una ventisca y no sabrás regresar —le decían.

Pero Pingo hacía cualquier cosa menos escuchar a los mayores.

Para algo eran mayores, para tener cuidado y miedo. ¡Él era intrépido, osado, joven…!

Aquel era un día precioso, perfecto para explorar, nadar y, de paso, pillar algún calamar despistado.

Pingo se alejó del resto, pero, de pronto, se detuvo.

Allí, justo delante de él, en mitad de ninguna parte, había un huevo. Un huevo solitario y perdido.

Pingo miró a derecha e izquierda y gritó:

—¡Eh! —Pero solo le respondió el silencio—. ¿De quién es este huevo? —preguntó, con el mismo resultado.

Entonces se acercó al huevo y lo tocó. Estaba tibio, aunque empezaba a enfriarse a toda velocidad. Si no lo incubaban, el pingüinito de su interior moriría en cuestión de minutos.

Ni una madre ni un padre abandonarían nunca a uno de sus huevos, así que si aquel estaba allí era porque algo había sucedido.

Pero poco importaba ya. Lo esencial era salvar al huevo.

Pingo se puso encima, se acuclilló y le dio su primer calor.

Aquel día Pingo no se movió. Ni al otro, pese a que estaba completamente solo.

Al tercer día, el cielo dejó de estar azul, se llenó de nubes y cayó una intensa nevada que casi lo sepultó. La temperatura bajó un montón de grados y Pingo sintió mucho frío. Empezó a pensar que si no se iba, moriría. Pero si se marchaba el que moriría sería el pingüinito del huevo.

Y se quedó.

¿Resistiría los treinta o treinta y siete amaneceres que costaba incubar un huevo?

Una semana después, Pingo seguía en su sitio, muerto de hambre, frío y sed.

Por suerte para él, le estaban buscando. Una tarde escuchó el grito.

—¡Le he encontrado! ¡Está aquí, venid!

Un grupo de pingüinos, a cual más enfadado porque Pingo les había obligado a salir de expedición, se acercaron a él.

—¿Se puede saber qué haces? —le espetó el jefe—. ¡Llevamos días buscándote! ¡Y tú aquí, como un pasmarote!

Entonces Pingo se apartó un poco. Le costó, porque estaba anquilosado y débil, pero no tuvo que decir nada. Cuando vieron el huevo, todos comprendieron lo que había sucedido.

Unos fueron a buscarle comida, otros agua, unos pocos se apretaron contra él para darle calor y el resto fue a buscar ayuda. Al poco rato, un enjambre de pingüinos rodeaba a Pingo y, todos juntos, se dispusieron a esperar lo que hiciera falta hasta que el huevo se rompiera y naciera uno de ellos.

Pingo se convirtió en un héroe, en todo un ejemplo para los demás. Había estado a punto de morir por salvar a un pingüinito. Eso sí: se convirtió en padre sin pretenderlo, antes de tiempo.

Y a su hijo adoptivo le puso Perdidito.

¿QUÉ ES UN PINGÜINO?

Es un ave marina y pescadora que carece de la capacidad de volar, pero que nada y bucea como ninguna otra. Los pingüinos tienen un plumaje muy especial (menos en verano, cuando lo cambian por otro nuevo) que los protege del agua y del frío.

¿CÓMO ES SU VIDA?

Estas aves solo dejan el mar por dos motivos:
los jovencitos para mudar su plumaje y los mayores para reproducirse.
Los pingüinos se enamoran para toda la vida y se reúnen para criar
a sus hijos en colonias muy numerosas, a veces de miles de parejas.
Los nidos pueden estar escondidos en túneles,
sobre la tierra o ¡sobre el hielo!
Este es el caso del pingüino emperador,
que no construye nido; por eso,
los padres incuban su único huevo
guardándolo en un pliegue de piel
que tienen en el vientre...
Algo parecido a la bolsa de los canguros.

¿DÓNDE HAY PINGÜINOS?

Existen diecisiete especies, repartidas por los mares que están al sur del ecuador. Algunos no se alejan de la Antártida. Otros viven y se reproducen en el sur de América, África, Australia y Nueva Zelanda, en islas e islotes seguros para sus hijos. Dos especies viven más al norte, aprovechando para ello la abundancia de peces de las costas de Chile y Perú, y otra más ha llegado hasta las islas Galápagos.

¿POR QUÉ CORREN PELIGRO DE EXTINCIÓN?

La contaminación de los mares y la escasez de peces de los que les gustan y necesitan es una de las causas de su declive. El cambio climático, que puede modificar las corrientes marinas, hace pensar en futuros problemas imprevisibles. La introducción por parte del ser humano de otros animales en sus lugares de cría puede aumentar la muerte de pollitos y hacer decrecer sus poblaciones. El pingüino de las Galápagos es la especie más vulnerable, pues el fenómeno meteorológico que se conoce como «El Niño» deja el mar sin pesca y ocasiona auténticas catástrofes en su población.

Pimpán,
el orangután

Ya de niño, Pimpán había sido un orangután peculiar.

Y decir peculiar es poco.

Era el más revoltoso de todos los orangutanes nacidos en aquella parte de la selva. Ninguno de los animales que la habitaban recordaban a un animal más loco y juerguista, travieso y desconcertante.

¿Que de pronto le llovían plátanos a la señora serpiente? Allí estaba Pimpán. ¿Alguien saltaba de rama en rama a lo bruto, sin ver si había alguien durmiendo en una o arrancando hojas a su paso? Ese era Pimpán. ¿Quién era capaz de echar una siesta justo encima de una madriguera? Pimpán. Y menos mal que, en este último caso, bastaba con pellizcarle el trasero para que diera un brinco y se apartara, que si no…

Su madre bien que lo decía:

—No paraba ni cuando lo llevaba dentro. Se notaba que quería salir cuanto antes.

A Pimpán lo que le perdía era la curiosidad.

Le pasaba por delante una mariposa y la seguía como un pasmado. Se subía a un árbol y si desde la copa veía uno más alto, pues allá que iba él para otear el paisaje mejor. Lo más divertido era cuando buceaba en la laguna tratando de agarrar a los peces con las patas. Nunca pillaba ninguno, aunque se lo pasaba en grande.

—Un día te meterás en un lío —le prevenía el búho, que para algo era el animal más serio de la jungla.

—Soy un orangután, soy fuerte —se jactaba él—. Soy el animal más fuerte de la tierra.

Sea como sea, en la Asamblea Anual de aquella primavera, todos se quejaron de Pimpán por alguna de sus locuras. Cuando Pimpán se enteró, se sintió muy triste y apenado.

—Nadie me quiere —suspiró—. ¿Qué culpa tengo yo de ser tan animado? ¡Los demás son unos sosos!

Sintiéndose rechazado, Pimpán se alejó más de la cuenta de su hogar. Nunca había llegado a la linde de la selva, porque se decía que más allá todo eran humedales, pantanos y lugares insalubres. Esta vez, sin embargo, lo hizo. Salió de la selva y…

¡De pronto se vio despedido hacia arriba y envuelto por una gruesa red que le impedía todo movimiento!

Unos extraños seres, muy parecidos a él aunque sin pelo y que caminaban únicamente sobre las patas traseras, salieron de todas partes y empezaron a reír.

—¡Magnífica presa! —dijo uno.

—¡Será la estrella de un buen zoológico! —dijo otro.

Pimpán no les entendía. Pero era lo bastante listo como para saber que estaba preso, y que se lo iban a llevar lejos, tal vez para comérselo.

¡Ah, qué tonto había sido!

Luchó con la red y gritó, pero no hubo forma de romperla y soltarse. A los pocos instantes estaba en una jaula de madera.

Lo que no sabía Pimpán era que una de las mariposas a las que seguía lo había visto todo. La mariposa voló rauda hasta el corazón de la selva y se lo contó al búho. Este convocó inmediatamente una reunión.

—¡Unos extraños han cogido a Pimpán! —proclamó—. Pesado o no, ¡es uno de los nuestros!

Uno o dos animales se alegraron de perderlo de vista, pero luego reconocieron que el búho tenía razón. ¡Pimpán era de los suyos!

Aquella noche, en el campamento de los cazadores sucedieron cosas muy raras. Primero, un enjambre de abejas empezó a picarlos. Después, cuando más distraídos estaban, quejándose y dando saltos, aparecieron varias serpientes y arañas enormes que les hicieron correr aún más.

En cuanto el campamento estuvo vacío, los mismos orangutanes llegaron a la jaula y estudiaron la forma de liberar a Pimpán. Un artilugio de metal protegía la puerta, así que optaron por la vía rápida: rompieron los barrotes de madera entre todos.

Pimpán no podía creerlo.

—¿Habéis venido a rescatarme?

—¡Pues claro, no íbamos a dejar que se te llevaran! —le dijo el búho, aleteando sobre su cabeza.

—Pero ¿no os molestaba y decíais que era superpesado?

—Las cosas no se arreglan quitándose los problemas de en medio, sino solucionándolos —le hizo ver el búho—. Te toca a ti aprender la lección. En la selva, todos dependemos de todos.

Desde aquel día Pimpán cambió.

Bueno, no dejó de hacer un poco el loco, pero tuvo más cuidado. O al menos lo intentó.

Por ejemplo, si dejaba caer una boñiga desde lo alto y le daba al topo en toda la cabeza, por lo menos bajaba, pedía perdón y le limpiaba.

¿QUÉ ES UN ORANGUTÁN?

El orangután es un primate que se parece mucho a los seres humanos. Esto es porque hace varios millones de años tuvimos los mismos antepasados. Las manos de los orangutanes son casi como las nuestras: tienen huellas digitales, pero son mucho más fuertes, lo que les permite subirse con facilidad a los árboles. Los orangutanes no hablan, aunque cuando se convive con ellos es sorprendente comprobar cómo te entienden y se explican con gestos para que los comprendas. Los bebés de orangután son parecidísimos a los bebés humanos.

¿CÓMO ES SU VIDA?

Los orangutanes pasan toda su vida subidos a las copas de los árboles. Allí se alimentan principalmente de frutos y hojas.
Un orangután conoce la parte de la selva en la que vive mejor que nosotros nuestras ciudades. Sabe dónde está situado cada árbol y cuándo maduran sus frutos (y en sus selvas no hay dos especies, como en nuestros bosques, sino cientos de clases de árboles), y conoce mil caminos diferentes a distintas alturas, lo cual hace que pueda desplazarse sin tocar el suelo. En resumen, los orangutanes tienen una memoria prodigiosa.

¿DÓNDE HAY ORANGUTANES?

Solo en dos islas de Asia viven orangutanes: en Sumatra y en Borneo. El hecho de que estas islas, aunque cercanas, estén separadas por un mar que ellos no pueden cruzar, ha conseguido que unos y otros sean bastante diferentes. Desde hace menos de cien años también viven en los zoos. Allí su vida es más segura y tienen a sus hijos cuidados, y si desaparecieran de Sumatra o Borneo, estos orangutanes «civilizados» podrían volver a colonizar las selvas de sus antepasados. Actualmente en los zoos de Europa viven cerca de quinientos orangutanes. Todos han nacido aquí y no conocen los bosques donde vivieron sus abuelos, pero quizá algún día sus hijos regresen a ellos.

¿POR QUÉ CORREN PELIGRO DE EXTINCIÓN?

La principal causa es, como ocurre con muchas otras especies, la superpoblación humana y la explotación de las selvas. En las selvas de los orangutanes hay maderas valiosas y por eso se cortan los árboles. Y lo peor es que después, en vez de permitir que la selva crezca de nuevo, se plantan palmeras que producen aceite de palma, pero no son el hábitat de los orangutanes.
La caza furtiva para robarles los bebés a las madres es otro de los problemas.

Mura, la cangura

Todo el mundo quería a Mura. No porque fuera una cangura que se pasaba el día yendo de aquí para allá dando brincos enormes, como si quisiera batir un récord mundial de salto de longitud. Tampoco por sus orejas puntiagudas, sus bigotes o su poderosa cola. A Mura la querían porque era el animal más servicial de la comarca.

En su bolsa llevaba de todo. Parecía un almacén andante.

—Mura, ¿tienes alguna planta para el dolor de cabeza?

—Un momento, mamá koala, que creo que por aquí hay algo.

Y, ¡zas!, en un rincón del fondo de la bolsa aparecían las hierbas.

—Mura, ¿has encontrado por casualidad mi nido? Anoche hizo tanto viento que se me voló.

—¡Pues claro que sí, papá petirrojo, lo cacé al vuelo!

Y, ¡ras!, el nido de la familia petirrojo salía de la gran bolsa de Mura tal cual, sin haber sufrido el menor daño.

Nada de esto habría sido problema de no haber sucedido lo más lógico: que Mura tuvo un cangurito.

A los pocos días, el pequeño ya compartía el espacio de la bolsa con todas las cosas que Mura recogía por aquí y por allá. Como era diminuto, no le importaba mucho. Es más, solía ser divertido, porque allí dentro podía aparecer cualquier cosa, desde una hormiga perdida a un demonio de Tasmania que Mura llevaba a otro lugar.

Pero a las pocas semanas… al hijo de Mura la bolsa se le quedó pequeña.

—¡Ay, que no quepo! —se quejaba cuando, con cada salto, se le clavaban todas las cosas.

Mura no tuvo más remedio que priorizar el bienestar de su hijo, así que vació la bolsa y se resignó a no ser tan servicial. Aquello hizo que su popularidad menguara.

—Mura, ¿no llevarás por casualidad…?

—No, lo siento, ya no llevo nada en la bolsa.

—Mura, ¿tendrías…?

—No, lo siento, ya no llevo nada en la bolsa.

Los animales que poco antes habían sido sus amigos empezaron a darle la espalda, molestos por su falta de atención. Lejos de comprender el problema, pensaron simplemente que Mura ya no quería saber nada de ellos.

—Ha cambiado —decía uno—. Se ha vuelto más egoísta.

—Sí, como tantos… —comentaba otro.

—Con lo buen animal que era —suspiraba un tercero.

Mura entendió lo que había pasado y se puso muy triste. Tanto que hasta su hijo se lo notó.

—Si quieres, me quedo en casa —le dijo el pequeño—. Así volverás a tener espacio para llevar todo lo que llevabas antes.

—No. Eres mi hijo. Tú eres lo más importante para mí, y si no lo entienden, allá ellos. Es su problema. Un hijo lo es todo para un padre o una madre. Cuando podía ser una buena vecina, lo era, pero las cosas cambian.

El ornitorrinco fue el primero en darse cuenta de que los egoístas eran ellos, los que siempre se habían beneficiado de lo dispuesta que estaba Mura a ayudarles, así que reunió a todos los animales para defender a su amiga.

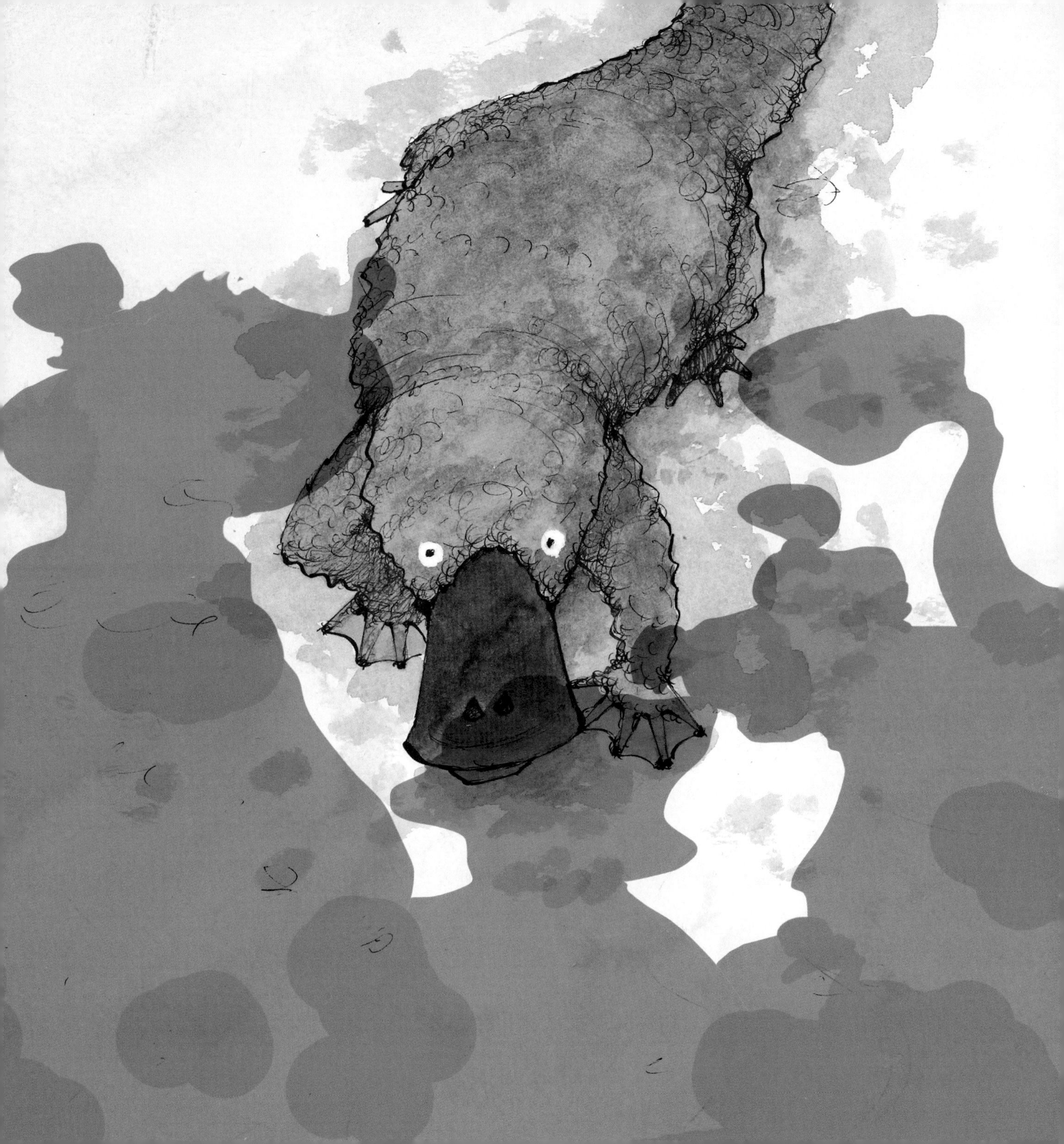

—¡Nos hemos despreocupado de los problemas porque Mura siempre estaba ahí para echarnos una pata, pero ahora las cosas son distintas y hemos de aceptarlo! ¡La bolsa de Mura no es un almacén!

Los animales lo comprendieron, se dieron cuenta de su descortesía y fueron a ver a Mura para pedirle perdón. Cuando ella los vio reunidos, reconociendo que era la más amable de todos, se sintió muy emocionada. Entonces tuvo una idea genial.

Aquella noche construyó una carretilla de madera a la que puso unas ruedas. Encima de ella colocó una bolsa aún más grande que la suya, en la que introdujo todas las cosas que antes solía llevar encima. Ató la carretilla a su cola y… al día siguiente volvía a ser la de siempre, la amiga de sus amigos, con cuanto necesitasen para ser felices.

Así que, a las pocas semanas, aunque su hijo ya había crecido mucho y no siempre estaba en la bolsa, Mura y su invento eran lo más popular de los alrededores. Cuando el alcalde lechuza la nombró mensajera, todos aplaudieron la iniciativa.

Ni que decir tiene que ese fue el comienzo del correo en bosques y praderas. Lo llamaron «Canguro Exprés».

¿QUÉ ES UN CANGURO?

Un canguro es un curioso mamífero que evolucionó especialmente en Australia inventando un modo muy original de cuidar a sus crías. ¿En qué consiste este invento? Cuando nacen, los canguros son como larvas o gusanitos que en nada se parecen a sus padres. Son tan pequeños que mil canguros recién nacidos pesan lo mismo que un bebé humano.
Nada más nacer, los «minicanguros» trepan por el pelaje de su madre hasta esconderse en una bolsa (llamada «marsupio») que ella tiene en la tripa. Allí se amamantan y crecen lentamente hasta hacerse independientes. Mientras tanto, utilizan también esta bolsa como refugio.

¿CÓMO ES SU VIDA?

La vida de los canguros más grandes, los canguros rojos y los canguros grises, transcurre saltando por las praderas en busca de agua y de comida.
En la época de reproducción, los papás canguro se enfadan con otros papás y se pelean a patadas y puñetazos para quedarse con las canguras que más les gustan como novias.

¿DÓNDE HAY CANGUROS?

Todos los canguros silvestres viven en Oceanía, sobre todo en Australia. Por allí, en diferentes paisajes, se reparten las más de cincuenta especies de canguro. Unos prefieren las llanuras con hierba, como el rojo y el gris, que son los más grandes y poderosos. A otros más pequeños les gustan las colinas rocosas y por ellas saltan como hacen nuestras cabras. Algunos trepan a los árboles porque les gustan más las hojas que la hierba.
Pero todos los canguros tienen como característica común unas patas traseras muy fuertes que les sirven para saltar muy lejos y una gruesa cola que usan para mantener el equilibrio y no caerse de costado.

¿POR QUÉ CORREN PELIGRO DE EXTINCIÓN?

El canguro más amenazado es el canguro de árbol, género formado por muchas especies distintas. En el suelo son lentos y torpes, pero en los árboles se mueven de forma muy ágil y atlética. De hecho, pueden dar saltos enormes. La caza y la pérdida de su hábitat son las razones de que estén en peligro.

Mugre, el tigre

Mugre no era el tigre más elegante y limpio de la selva.

Ya desde cachorro, su madre se había preocupado mucho por él. Era felino y feroz, sí, pero se metía siempre en todos los charcos y le encantaban los líos.

Ya no se subía a los árboles para tratar de coger nidos, pero tanto le daba rugir de noche, despertando a todo el mundo, como pelearse con cualquier clase de animal, sin importarle que fuese mucho mayor.

Una vez había regresado tan embarrado y sucio de una excursión a las cascadas que su madre le confundió con una pantera. Hasta que no se lavó no le vieron las rayas.

Precisamente de lo que más alardeaba Mugre era de sus rayas.

Eran perfectas, y convertían su piel en un precioso tapiz lleno de contrastes. Las jóvenes tigresas no le quitaban ojo de encima, y él se pavoneaba y se lucía ante ellas. Claro, que eso solo ocurría cuando iba limpio, cosa que no sucedía a menudo.

—¡Ay, no sé qué hacer con él! —decía su madre.

Los elefantes le disparaban chorros de agua y los chimpancés le lanzaban fruta, pero Mugre se reía de todo. Incluso del león, que por muy «rey de la selva» que fuese, no era tan guapo como él.

Como muchos jóvenes, de la especie que fuera, Mugre estaba un poco loco. ¡La vida era una fiesta!

Hasta que un día, tras pelearse con un grupo de monos, sucedió lo inesperado.

Aquella noche, mientras Mugre dormía, los monos frotaron sus fosas nasales con adormidera, para que no se despertara mientras hacían de las suyas, y por la mañana, al abrir los ojos…

—Mugre, ¿qué te ha pasado? —le preguntó Ximbo, su tío.

—¿A mí? Nada —contestó él—. ¿Por qué?

—Pues porque has perdido una raya.

Mugre volvió la cabeza y comprobó que era cierto. ¡Había perdido una de sus rayas negras! ¡Y no una pequeña, no: la más grande, la que estaba cerca de la cola!

—¡Mi raya! —exclamó, muy asustado.

Fue al lugar donde había dormido, pero nada. Paseó por los alrededores, muy nervioso, y el resultado fue el mismo. ¿Cómo había podido perder una raya?

Cuanto más corría por la selva buscándola, más sorpresas y burlas provocaba.

—¿Estás mudando la piel? —se mofó una serpiente.

—¡Mugre, qué pálido estás! —comentó un búho.

—¿Te ensuciabas para disimular que te faltan rayas? —le preguntó un buitre.

Mugre revolvió la selva de arriba abajo. ¿Cómo se caía una raya? ¿Podía habérsela llevado el viento? ¿Y si la lluvia había borrado su rastro? Ni siquiera notaba que los monos le seguían por las copas de los árboles, tratando de que sus risas no delataran su presencia a ras de suelo.

A mediodía Mugre fue al estanque y se miró en el agua.

Estaba hecho un asco. Sin una de sus rayas ya no era un tigre. ¡Hasta las cebras tenían más rayas que él! Sería el hazmerreír eterno de la selva.

Triste y abatido, fue al encuentro de su madre. En cuanto se detuvo ante ella, la tigresa se dio cuenta de que algo le sucedía a su hijo.

—¿Qué te pasa? —se preocupó.

—¿No me notas nada raro? —preguntó él.

—No, nada, salvo que estás tan sucio como siempre.

—¿Yo?

—¡Sí, tú! ¿Se puede saber con qué resina te has frotado que hasta se te ha teñido de blanco una raya?

—¡¿No la he perdido?! —exclamó Mugre.

—Ay, hijo, ¡¿serás tonto?! —explotó su madre—. ¿Cómo vas a perder una raya? ¿Crees que son de quita y pon?

Y tirando de una de sus orejas, lo arrastró hasta la cascada y lo metió bajo el chorro, para que el agua limpiara la mancha.

Ahí estaba la raya.

En ese momento los monos ya no pudieron contener más la risa y estallaron en carcajadas. Mugre solo tuvo que levantar la cabeza y verlos para comprender lo que había sucedido.

¡Le habían pintado de blanco la dichosa raya!

Pero bien que aprendió la lección. De entrada, porque desde entonces se lavó todos los días. De salida, porque puesto que era uno de los animales más bellos de la selva, se tomó muy en serio su papel desde entonces.

Eso sí, la guerra con los monos fue tremenda a partir de ese día.

¿QUÉ ES UN TIGRE?

El tigre es el felino más grande de la tierra. Es el único «gato» que se ha vestido con rayas en vez de con manchas o de color uniforme, como han hecho el resto de los grandes felinos. ¡Puede alcanzar los 300 kilos de peso, tanto como cuatro o cinco personas juntas! Tiene una gran inteligencia, que le ha permitido adaptarse a los lugares y climas más diferentes y extremados.

¿CÓMO ES SU VIDA?

Son animales solitarios, y —como ocurre en infinidad de especies en las que ambos sexos hacen vidas separadas— la rutina de los machos y las hembras es completamente diferente.

De jóvenes ellos se dedican a intentar sobrevivir y más tarde, ya adultos, a conquistar un territorio propio y a defenderlo de otros tigres.

Las hembras son las que alimentan y educan durante casi tres años a sus hijos, por lo que son unas magníficas cazadoras.

¿DÓNDE HAY TIGRES?

Hasta hace cuatro siglos los tigres vivían desde el Cáucaso, a lo largo y ancho de la mitad sur de Asia, hasta algunas islas como Sumatra. Hacia el norte se extendían por una gran parte de Siberia.
Hoy los tigres viven solo en zonas de la India y países al norte de ella, la isla de Sumatra y una pequeña parte de Siberia próxima al Pacífico.

¿POR QUÉ CORREN PELIGRO DE EXTINCIÓN?

La caza ilegal por su preciosa piel y la creencia que existe en muchos países de que todas las partes de su cuerpo tienen propiedades medicinales son sus principales enemigos. En el siglo xx la llamada caza «deportiva» diezmó sus poblaciones, exterminando a algunas de ellas. Por otro lado, el aumento de la población humana en las zonas donde habita produce accidentes y conflictos con la ganadería.
Actualmente sus poblaciones se reducen a seis. Las más numerosas son las de la India e Indochina. Las de Sumatra, Malasia y norte y sur de China se encuentran al borde de la desaparición.

Mar,
la osa polar

La culpa de que Mar fuese una perezosa la tenían sus oseznos, Cielo y Agua.

Nada más llegar al mundo, en las inmensidades blancas del polo, Cielo y Agua mostraron muy poca predisposición para la aventura. Preferían dormir bien cobijados por Mar. Y Mar, como buena madre, estaba dispuesta a complacerles.

Lo malo es que, de tanto gandulear, acabó volviéndose eso: perezosa.

Cuando Cielo y Agua empezaron a valerse por sí mismos, a Mar le costó una barbaridad volver a mover su enorme cuerpo por el hielo. Además, podía pasarse mucho tiempo sin comer. ¡Ah, lo estupendo que era dormir a pata suelta!

Un día, al llegar la primavera, Cielo y Agua se alejaron más de la cuenta de Mar y ella no notó que el pedacito de hielo sobre el cual se encontraba se iba separando de la costa. A Mar le gustaba dormitar con una pata metida en el agua y la nariz casi colgando del extremo, para olerlo todo. El pedacito de hielo acabó flotando a la deriva, como un iceberg, con Mar encima. El movimiento de las olas hizo el resto.

¡Lo bien que estaba Mar!

Ni siquiera se dio cuenta de que pasaba el tiempo y de que, mientras, el pedacito de hielo se iba separando más y más de la costa.

De repente, un rayo cruzó el cielo y un trueno retumbó en las alturas.

—Ositos, estaos quietos —rezongó Mar más dormida que despierta.

Otro rayo.

Otro trueno.

—¿Se puede saber qué estáis haciendo? A ver si rompéis algo… —gruñó.

Pero ¿romper? ¿Qué iban a romper Cielo y Agua si vivían en el polo y allí no había más que inmensas montañas de hielo?

Mar abrió un ojo. Caramba, ¿y lo mucho que se movía todo? Abrió el otro ojo. Luego, lo que hizo fue abrir la boca ante la sorpresa.

—Pero ¡qué…! —exclamó, y se le heló la sangre en las venas, no solo por el frío que hacía.

No se veía nada salvo el mismo nombre de sus hijos: agua por todas partes y el inmenso (y negro-negrísimo) cielo sobre su cabeza.

—Pero ¿adónde se ha ido todo el mundo? —se preguntó asustada.

Mar nadaba estupendamente y era fuerte. Lo malo es que no sabía en qué dirección quedaba el lugar en el que estaba su familia. Podía echarse al agua y acabar en medio del océano, o ir en una dirección que la alejase para siempre de los suyos.

Más rayos y truenos quebraron el firmamento y las olas se hicieron muy altas y violentas.

Encima, el pedacito de hielo se iba encogiendo.

¡Acabaría en la panza de una ballena!

Cuando peor estaba el asunto, un gaviotín del Ártico apareció entre las nubes y casi se estrelló contra la barriga de Mar.

—¿Y tú quién eres? —le preguntó Mar.

—Me llamo Tilín y estoy haciendo mi vuelo anual de norte a sur, de los hielos de arriba a los de abajo, pero con esta tormenta… ¿Y tú qué haces aquí?

—Me he quedado dormida. No sé en qué dirección está la costa.

—Yo sí lo sé. Si te lo digo, ¿me dejas viajar contigo y así descanso un rato?

—¡Pues claro! —contestó la osa, sintiéndose salvada.

—Entonces…, hacia allí, y ya puedes ir rápido, porque este hielo se está fundiendo por momentos.

Mar se puso a remar con las dos patas, boca abajo, tan estrecho era ya el pedazo de hielo. Tilín se quedó encima de su cabeza, para guiarla.

Fue una larga travesía. Tanto que, justo cuando a lo lejos vieron la línea de la costa, el hielo acabó de fundirse y Mar tuvo que hacer el resto a nado. Pero por encima del agua, para mantener a Tilín sobre su cabeza.

Los dos llegaron muy contentos a su destino.

—Ahora ya puedo volver a volar —suspiró el gaviotín del Ártico.

—¡Y yo, a reunirme con mi familia! —se emocionó Mar.

En efecto, allí estaban sus hijos, preocupados por su desaparición. Los tres se reunieron felices mientras Tilín reemprendía el vuelo.

A partir de ese momento Mar dejó de ser perezosa. Y a la hora de dormir ya no se acostaba junto al agua. Se convirtió en una osa tan activa que a veces hasta sus hijos le decían:

—¡Para, mamá, que estamos agotados!

¿QUÉ ES UN OSO POLAR?

Los osos polares descienden de unos osos marrones que, en los periodos glaciares (una época en la que en la Tierra hizo mucho frío), decidieron no irse a zonas más templadas y quedarse en la nieve.
Con el tiempo, para que no los vieran las focas, su principal alimento, su pelo marrón se hizo blanco. También pasaron de dormir durante todo el invierno a dormir solo durante el verano, ya que para cazar focas necesitan que el mar esté helado.

¿CÓMO ES SU VIDA?

Los papás osos casi siempre están solos. En cambio, las osas siempre están educando a uno, dos o tres oseznos preciosos de los que no se separan hasta que cumplen tres años. Entonces vuelven a tener crías. Los cachorritos nacen pequeñísimos en una cueva que excava su mamá... ¡en el hielo!
Y allí, pegaditos a ella, que les da calor, viven durante tres meses o un poco más. Cazar focas es muy difícil y a eso dedican casi todo su tiempo.
Les gusta mucho nadar, tanto que son capaces de hacerlo durante un día entero sin cansarse.

¿DÓNDE HAY OSOS POLARES?

Solo hay osos polares en el Polo Norte, y como allí casi se juntan tres continentes —Europa, América y Asia—, los osos polares pueden viajar de uno a otro con facilidad. Cuando llega el verano, y antes de dormirse, como no pueden cazar focas porque el mar no está helado, los osos se reúnen en algún lugar donde haya comida: por ejemplo, en torno a una ballena muerta que el oleaje arrastre hasta una playa. A veces se acercan a las pocas poblaciones humanas que hay en sus territorios, porque allí, entre la basura que tiran las personas, pueden encontrar algo que comer.

¿POR QUÉ CORREN PELIGRO DE EXTINCIÓN?

El mayor peligro para su supervivencia es el cambio climático. Por culpa de la subida de las temperaturas cada vez hay menos hielo y esto hace que los osos polares tengan más dificultades para cazar focas. Por eso, aunque parezca imposible dada su fuerza y tamaño, estos preciosos animales podrían llegar a extinguirse. También la contaminación marina y las explotaciones mineras y petrolíferas en sus hábitats naturales los afectan y hacen peligrar algunas poblaciones. La caza de estos osos ahora representa un peligro menor.

Lena,
la ballena

Lena no solo era la ballena más grande, sino la más feliz de los mares. Siempre estaba contenta y bromeaba por todo. Sus chistes eran famosos. Ninguna de sus compañeras se resistía a ellos. A la pobre Lisarda, de buen rollo, le había dicho que más que ballena parecía «bavacía», por lo delgada que estaba.

Cuando las ballenas se reían, el mar se agitaba con tremendas olas, como si hubiera tormenta.

Lena era tan grande que tenía que comer mucho. Abría la boca, tragaba toneladas de agua, se quedaba con su alimento y luego devolvía el agua por el agujero de la cabeza, formando un enorme surtidor que asustaba a los pájaros incautos. Y claro, cuando tragaba agua le entraba de todo.

En una ocasión, un pedazo de barco se le quedó atravesado en la garganta y tosió y tosió hasta quitárselo, pero provocando casi un maremoto. Otra vez se zampó a un submarinista que creyó estar en una enorme cueva. El hombre la pinchó, y Lena tuvo que expulsarlo de muy mala manera.

Pero eso eran menudencias. Lena nadaba, brincaba, movía la cola con elegancia y «hablaba» con su peculiar voz bajo el agua, como si cantara. El canto de las ballenas está lleno de nostálgica armonía, y en eso, Lena, por su tamaño, era la mejor.

Un día un pájaro bobo se lanzó sobre el agua para atrapar un pez justo cuando Lena abría la boca para comer. En un instante, el pobre pájaro quedó atrapado.

—¡Eh! —gritó—. ¿Hay alguien ahí?

Lena oyó aquella voz en su interior y recordó al submarinista que la había pinchado.

—¿Se puede saber quién eres? —rugió enfadada.

—¿Yo? ¡Soy un pájaro bobo! ¡Me llamo Rufus! ¿Dónde estoy? ¿Quién eres tú? ¿Desde dónde me hablas? —dijo muy asustado.

—¿Rufus? ¿Qué clase de nombre es ese? ¿Y qué haces tú en mi barriga? ¡Yo soy Lena, la ballena!

Rufus se quedó petrificado…

¡Una ballena! ¡Vaya, eso sí era malo!

—¡Yo estaba pescando tan tranquilo cuando, de pronto…, me he visto aquí dentro!

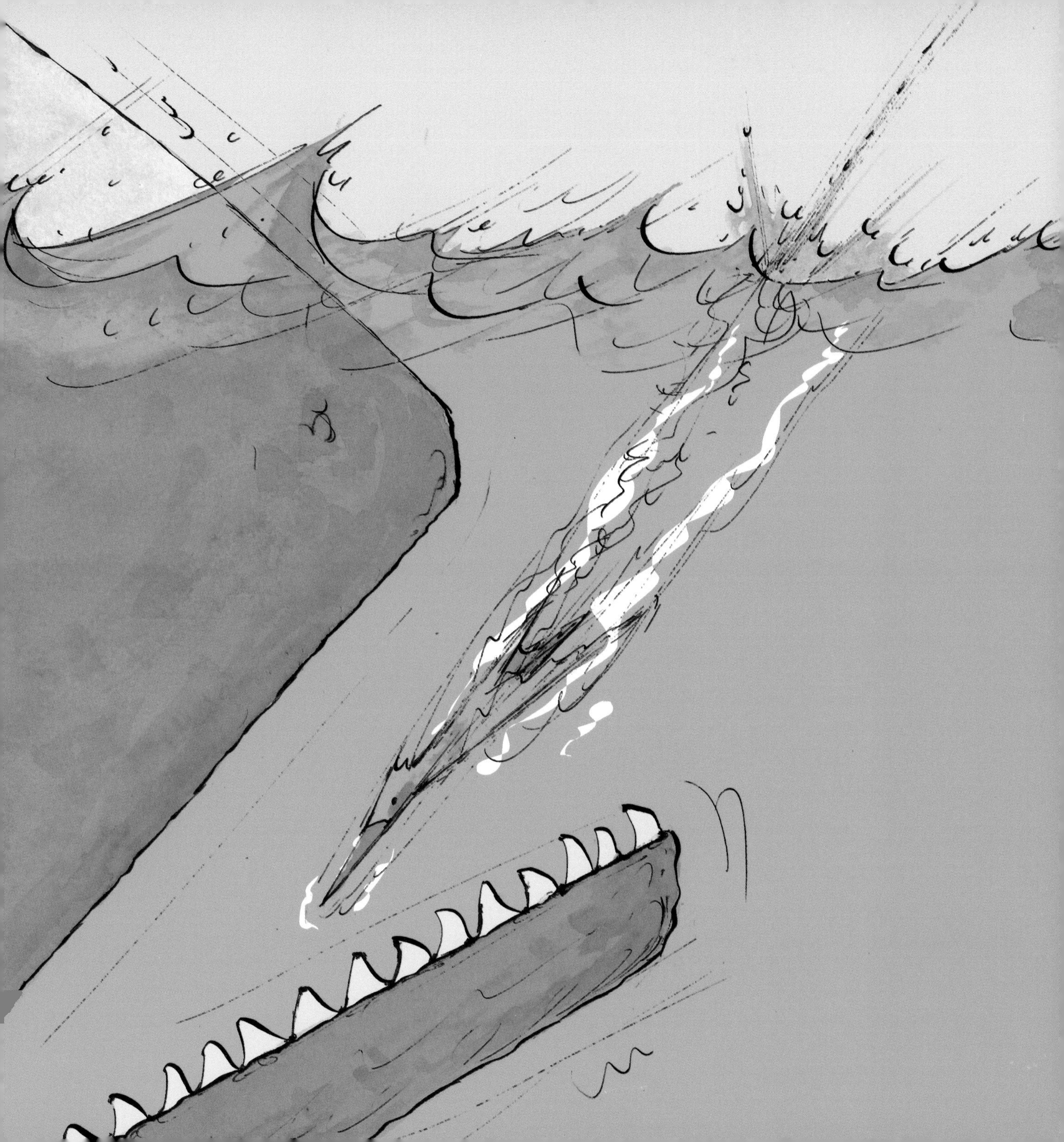

—¡Pues ya te estás largando con viento fresco!

—Vale, pero ¿salgo por detrás o por arriba?

Lena lo meditó. Si lo expulsaba por detrás, con pico y todo, le haría daño, pero por arriba también…

—Creo que lo mejor será que te quedes ahí y me sirvas de alimento —dijo Lena.

—¡Ah, no! —protestó Rufus—. Tengo pájara y un nido que alimentar. ¡Haz el favor de no jugar con eso! —Luego reflexionó un instante y añadió—: ¿Y desde cuándo las ballenas comen pájaros?

—¡Haga lo que haga me va a doler!

Se hizo el silencio.

Lena estaba preocupada y Rufus, asustado. Por si acaso, el pájaro se zampó tres o cuatro peces que brincaban a su alrededor. Fue entonces cuando tuvo la idea.

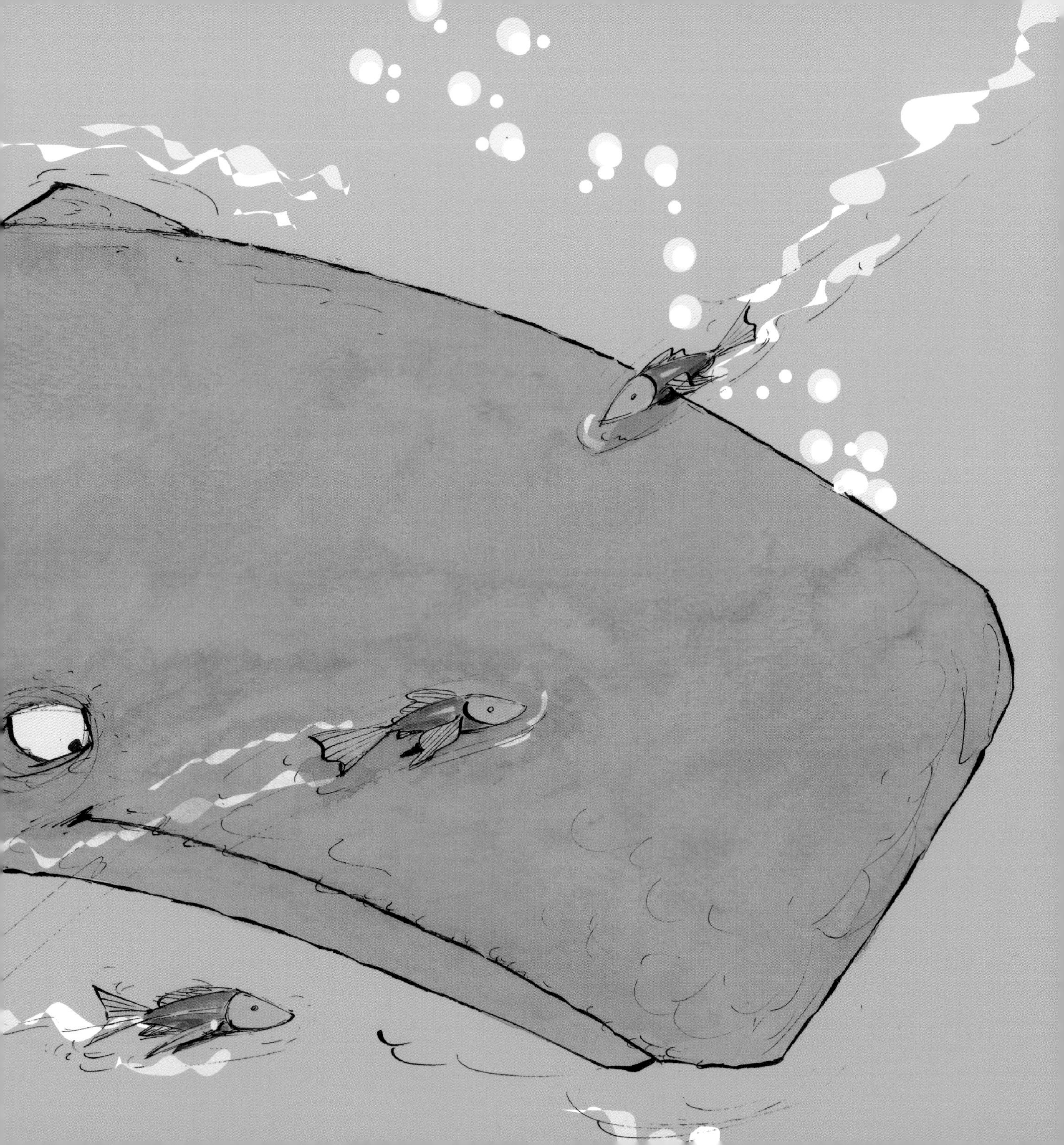

—Prepárate —le dijo a Lena.

—¿Qué vas a hacer?

—¿Has estornudado alguna vez?

—¿Estornudar? ¿Y eso qué es? —se alarmó la ballena.

Entonces Rufus abrió las alas y se puso a hacerle cosquillas con las plumas.

—Pero ¿qué…? —se agitó Lena—. ¡Estate quieto! ¿Qué haces? Aa… ¡Aaa…! ¡Aaaa…!

En unos segundos, el cosquilleó resultó tan imparable como irritante…, y no por ello menos divertido.

Porque Lena se puso a temblar y a sentir que le entraban unas ganas tremendas de… ¿De qué? ¿Rufus había dicho estornudar? ¿Qué era eso? Pronto lo supo.

Inesperadamente tuvo que llenarse de aire, hasta hincharse como un globo, y tras una pausa en la que llegó al límite…

¡AAACHÍÍÍÍSSS!

¡ZAS!

Rufus salió volando por el aire, despedido a gran altura. Tanto que a duras penas logró extender las alas para echar a volar. Cuando lo consiguió, sobrevoló a Lena, que le miraba sin saber si enfadarse o reírse.

—¡Eres un pájaro bobo! —exclamó, optando por lo segundo.

—Ya te lo dije —replicó Rufus, agitando las alas—. Pero ¿a que ha sido divertido?

Sí, Lena tuvo que reconocer que estornudar era divertido. Y por eso, desde aquel día, de vez en cuando, fingiendo despistarse, atrapaba pájaros para que le hicieran cosquillas y poder así estornudar.

Aunque las olas que levantaba eran tremendas.

¿QUÉ ES UNA BALLENA?

Las ballenas son los mamíferos más grandes del planeta. En concreto, la ballena azul es el animal más grande del mundo: puede medir hasta 30 metros de largo y pesar 200 toneladas. Están perfectamente adaptadas a la vida en el agua. En cuanto a su alimentación, podemos encontrar dos tipos fundamentales: ballenas barbudas y ballenas dentadas. Las ballenas barbudas filtran el agua para obtener kril, una masa de animales muy pequeños que viven flotando en el agua. La mayoría de las ballenas se alimentan así. Las ballenas dentadas son carnívoras y comen desde pescado hasta focas, como la famosa orca o ballena asesina.

¿CÓMO ES SU VIDA?

La vida de una ballena es muy larga; la ballena boreal, por ejemplo, puede vivir hasta doscientos años si ningún ser humano se lo impide.
Viven en grupos familiares que se denominan «manadas». Dentro de estos grupos nacen y se alimentan. Si pierden a su grupo pueden terminar varadas en la costa, lo que significa una muerte segura.
La madre y la cría permanecen juntas durante unos tres años. La cría se llama «ballenato» y... ¡puede necesitar entre 100 y 150 litros de leche al día!
Las ballenas son realmente inteligentes. Han desarrollado su propio lenguaje, que en algunos casos se ha podido descifrar.

¿DÓNDE HAY BALLENAS?

Las ballenas habitan todos los océanos del mundo, desde el Ártico hasta el Antártico. Por lo general las ballenas más grandes viven en las aguas más frías, mientras que las de menor tamaño tienden a acercarse a las costas en busca de aguas más templadas.

Cada ballena tiene sus gustos, pero muchas de ellas realizan viajes larguísimos para buscar las temperaturas que les resultan más agradables.

¿POR QUÉ CORREN PELIGRO DE EXTINCIÓN?

Las ballenas dependen de la riqueza de su medio para conseguir alimento. La contaminación de las aguas y el cambio climático están haciendo que haya menos vida en el océano, y por tanto las ballenas encuentran menos comida.

Además, cuando la comida se acaba en un sitio deben trasladarse a otro, y en estos movimientos pueden quedar atrapadas en redes, sufrir accidentes con barcos o perderse y quedar varadas. La caza de ballenas ha sido una práctica muy común entre los seres humanos. Aunque en la actualidad está prohibida, dejó al borde de la extinción a muchas poblaciones.

Trompante, el elefante

A Trompante empezó a dolerle el colmillo izquierdo una mañana.

Primero no le hizo mucho caso. Era un elefante. Más aún: era el jefe de la manada. Si se quejaba por una menudencia, ¿qué harían luego los jóvenes, protestar por cualquier tontería? La vida de la selva era dura, ¿no?

Pues eso.

Pero al llegar la noche el colmillo le dolía tanto que ni siquiera pudo dormir un rato. Fanta, su elefanta, lo notó.

—¿Qué te pasa?

—Nada —contestó él, haciéndose el duro.

—¿Nada? Pues no lo parece. Pones cara de dolor de estómago. Y tienes la parte izquierda de la cabeza hinchada.

—Me duele el colmillo.

—Pues ve a ver a Asdrúbal.

Asdrúbal era el mono más sabio de todos. Vivía en una confortable rama y se pasaba el día haciendo el vago. Sus hijos e hijas le llevaban la comida y todo el mundo le pedía consejo.

Trompante no tuvo más remedio que hacer caso a su elefanta porque pasó una noche terrible.

—Asdrúbal —le llamó, moviendo con la trompa la rama en la que dormitaba el mono—. Necesito que le eches un vistazo a mi colmillo izquierdo porque me duele mucho.

—Si no te pasaras el día comiendo… —replicó el mono. Trompante estuvo a punto de ducharlo, pero prefirió ser paciente—. Veamos, abre la boca —le pidió finalmente Asdrúbal.

El mono metió la cabeza en la boca de Trompante y le examinó la infección.

—¡Tienes mal aliento! —gruñó.

—«¡Y ú a aeza ena ichos!» —protestó el elefante a duras penas.

—¿Qué has dicho?

—¡Que tú tienes la cabeza llena de bichos! —repitió Trompante.

—Hay que arrancarte el colmillo —le soltó a continuación el mono.

—¡¿Arrancarme un colmillo?! —se enfureció Trompante—. ¡Ah, no! ¿Qué haría yo con solo un colmillo? ¡Soy el jefe de la manada! ¡Mis colmillos son mi mayor seña de elefantidad!

—Entonces allá tú: sigue sufriendo —replicó Asdrúbal, que volvió a su rama dispuesto a seguir durmiendo.

Cabizbajo y asustado, Trompante emprendió el regreso hacia su manada. ¿Qué podía hacer? Los cazadores furtivos ya mataban a muchos elefantes para robarles los colmillos, como para encima arrancarse uno él mismo…

De pronto se encontró a Pirlo, el mirlo, que a veces se posaba en su lomo y paseaba con él, o se lo limpiaba de bichos.

—¿Qué te pasa, Trompante?

—Me duele mucho el colmillo y Asdrúbal me ha dicho que tendría que arrancármelo.

—¡No, no, no, no! ¡Serías el hazmerreír de la selva! Ya sabes cómo son algunos. Te llamarían desdentado, colmillo roto, unidiente o cosas parecidas.

—Pirlo, es que me duele mucho. Y para que yo me queje…

—Déjame ver.

Trompante volvió a abrir la boca. El pájaro revoloteó un momento y luego se metió dentro. Era pequeño, así que pudo acercarse mucho a la zona inflamada. No tardó en ver el problema: una ramita puntiaguda incrustada en la encía, justo debajo del nacimiento del colmillo. Ya se le había hinchado, así que tuvo que acercarse mucho para quitársela con el pico.

—¡Ay! —barritó Trompante.

Pirlo salió volando antes de que al elefante le diera por cerrar la boca. En el pico llevaba la ramita, con sangre en la punta.

—Tenías esto clavado, eso es todo —le dijo, mostrándosela.

—¡Ahí va, ya no me duele! —exclamó Trompante.

—¡Entonces vas a conservar tus colmillos, gigantón! —se rio Pirlo, feliz por haberle ayudado.

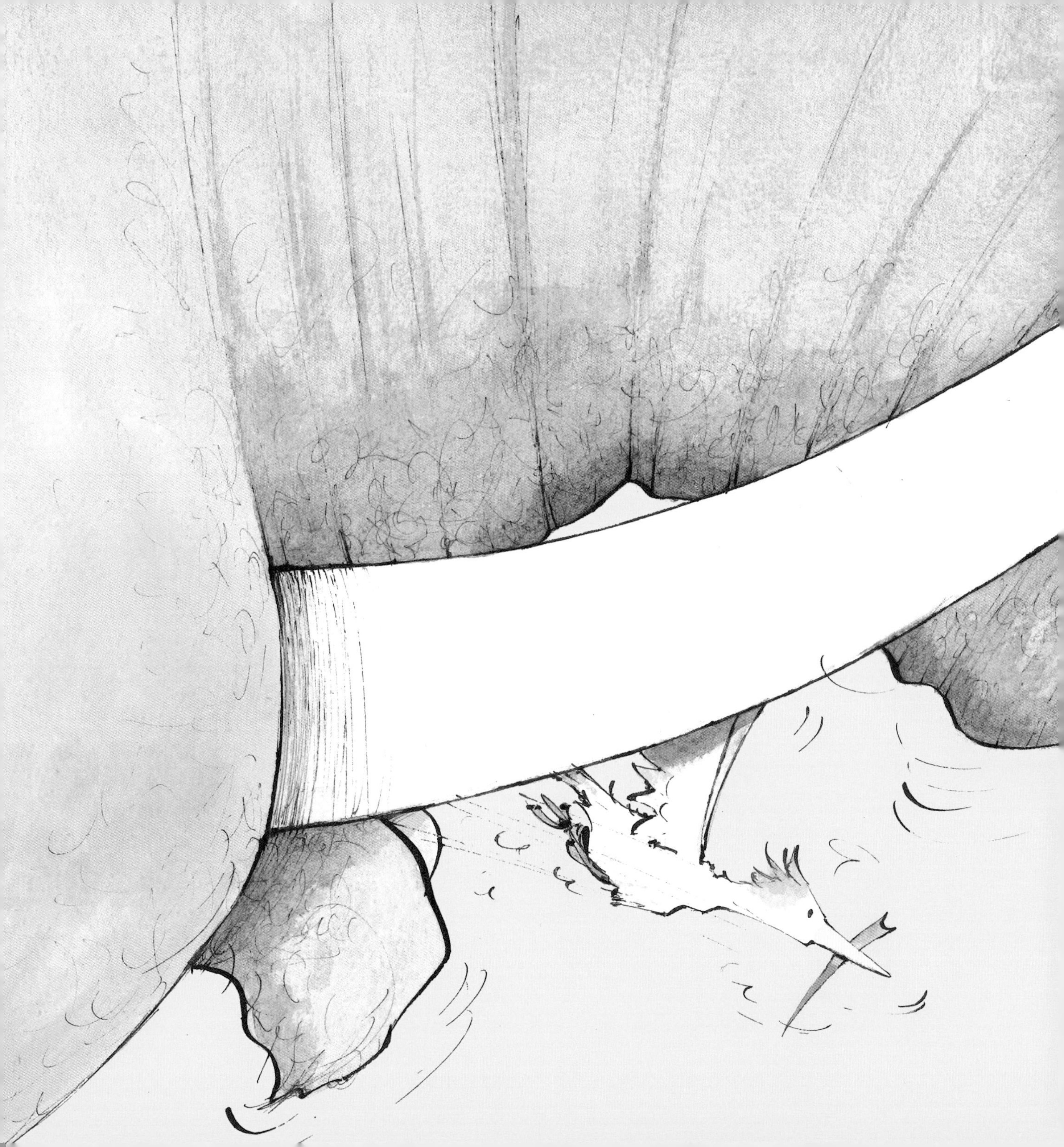

El elefante regresó con la manada feliz y aliviado. Desde ese momento vigilaría mucho más lo que comía.

Eso sí, al día siguiente se llenó la trompa de agua y fue a ver a Asdrúbal.

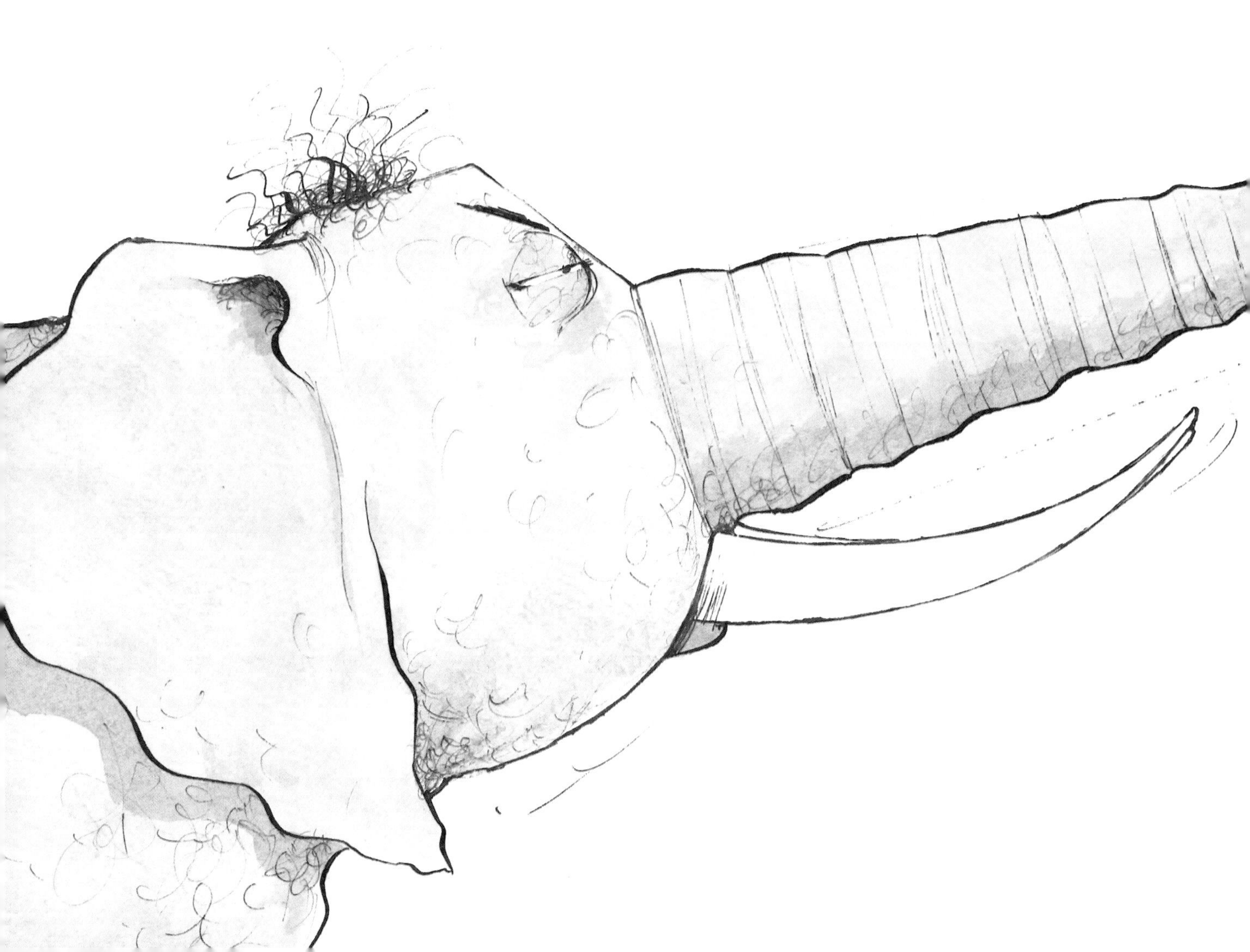

La ducha fue tan impresionante que los gritos del mono retumbaron por toda la selva.

¿QUÉ ES UN ELEFANTE?

Es un mamífero gigante, el más grande de todos los terrestres.
Un gran elefante macho puede pesar hasta 10.000 kilos, ¡tanto como ocho coches! Las hembras son más pequeñas, pero aun así son mucho mayores que los rinocerontes y los hipopótamos. Los elefantes viven más de sesenta años. A esa edad sus dientes están tan desgastados que ya no pueden masticar la comida (plantas y hojas de las ramas de los árboles). Esa es, en muchos casos, la causa de su muerte.

¿CÓMO ES SU VIDA?

Los elefantes son grandes comilones y viajeros. Siempre están comiendo y viajando para no maltratar demasiado las plantas de las que se alimentan.
Así permiten que se recuperen.
Las hembras y sus crías viajan siempre juntas en un rebaño dirigido por la elefanta de mayor edad.
Los machos se reúnen con sus amigotes y solo en ciertas épocas acompañan a las chicas.

¿DÓNDE HAY ELEFANTES?

En África, al sur del desierto del Sahara, viven dos especies diferentes: los elefantes de sabana, a los que les gustan los campos con poco arbolado, y los elefantes de bosque, que prefieren las selvas más oscuras y espesas. También hay elefantes en varias zonas de Asia, como la India, Sri Lanka, Indochina, Malasia y las islas de Sumatra y Borneo, pero son de menor tamaño. Los de la isla de Borneo son tan pequeños que, de hecho, reciben el nombre de «elefantes enanos». Los africanos y los asiáticos se distinguen muy bien porque los asiáticos tienen las orejas mucho más pequeñas.

¿POR QUÉ CORREN PELIGRO DE EXTINCIÓN?

Los elefantes no tienen enemigos naturales, ya que solo los leones cazan a alguna cría de vez en cuando. La principal causa que hace que cada vez haya menos elefantes es la caza furtiva. El ser humano los mata para robarles los colmillos de marfil. También los humanos los arrinconamos cada vez más en reservas y les dejamos poco espacio para viajar y alimentarse. Por último, el cambio climático produce sequías y muchos elefantes, como les ocurre a muchas personas, no encuentran suficiente comida.

Lula, la tortuga

A la tortuguita que salvé en el
Parque Nacional de Tortuguero, Costa Rica,
esté donde esté.

El día que nació Lula fue muy especial.

Y no por el hecho de que naciese, que también, sino porque sobrevivió de milagro.

Las tortugas desovan en las playas que más les gustan, y lo hacen lejos de la orilla, cerca de los árboles. Siempre ha sido así. Pero, claro, cuando los huevos se rompen y salen las tortuguitas, han de correr desesperadas rumbo al agua antes de que los pájaros por el aire o los cangrejos en tierra se las coman.

Lula y sus hermanas bien que lo sabían, aunque fuera por instinto, ya que nada más sacar la cabeza emprendieron una veloz carrera hacia la salvación.

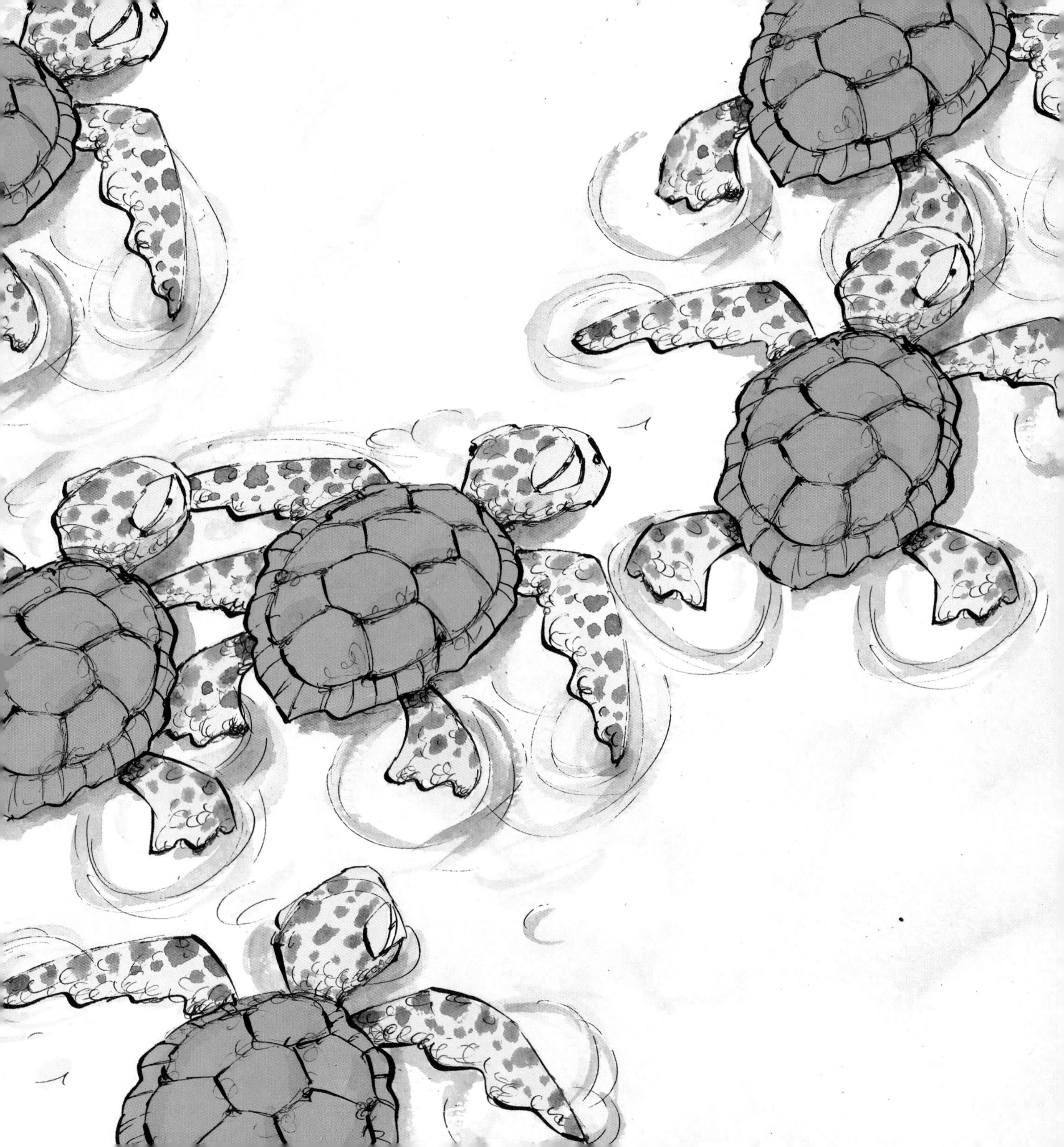

Aunque, por desgracia, allí estaban los cangrejos y los pájaros.

Antes de completar un tercio del camino, ya solo quedaban la mitad de las tortugas. Era terrible. No sabían si mirar arriba y vigilar a los pájaros, o estar atentas al suelo, donde se escondían los cangrejos. ¡Y el mar parecía tan lejano, tanto!

De pronto, cerca de la orilla donde rompían las olas liberadoras, Lula se vio sola. ¡Era la única que había sobrevivido al ataque de los depredadores!

Entonces sucedieron tres cosas. La primera, que un pájaro se lanzó en picado sobre ella. La segunda, que un cangrejo le cortó el paso con las pinzas en alto. La tercera, que un ser enorme, gigantesco, la cogió con las manos y la protegió.

Lula nunca había visto a un humano, claro, y no sabía lo que era un niño.

—No temas, amiga, yo te protegeré —le dijo el niño con voz dulce.

Y la llevó hasta el agua con las manos, salvándole la vida.

Una vez libre, Lula nadó y nadó, internándose en el mar, muy asustada aunque consciente de que estaba a salvo. Un par de veces sacó la cabeza a ras de agua y en la orilla vio al niño despidiéndose de ella con una sonrisa y la mano levantada.

En los años siguientes, Lula jamás olvidó ese día.

Ni al niño.

Cuando le llegó a ella el momento de desovar y regresó a la misma playa en la que había nacido, decidió poner los huevos más cerca de la orilla, para que sus crías no tuvieran que hacer un viaje tan largo hasta el agua. Pero tampoco podía ponerlos en mitad de la arena, porque entonces ni llegarían a nacer… Así que buscó el lugar arbolado más cercano al mar.

Y eso hizo siempre, tratando además de convencer a sus amigas de que la imitaran.

Un día, setenta años después de su nacimiento, Lula nadó hasta la playa, una vez más, para desovar. Llegó hasta el lugar elegido, hizo el hueco en la arena y fue depositando los huevos. Una tras otra, las bolitas blancas se amontonaron en el espacio que sería su casa hasta que las tortugas nacieran. Acabada la puesta, Lula enterró el hueco y se dispuso a regresar al mar.

Pero Lula no había olvidado el día de su nacimiento, cuando tuvo que correr desesperada para salvar la vida. Ni había olvidado a aquel niño.

Y de pronto…

¿Era posible?

¿El mismo niño, tantos años después, estaba allí, esperándola?

Lula se detuvo, el niño se arrodilló frente a ella y los dos se miraron curiosos. Una con su arrugada cabeza y sus ojos melancólicos, y el otro fascinado por su enorme presencia.

El niño la acarició, y así supo Lula que era bueno.

—¿Sabes? —dijo de pronto el chico—. Mi abuelo me ha contado muchas veces la historia del día en el que salvó a una tortuguita de morir.

A Lula casi se le paró el corazón.

—Mira que si fueras tú… —siguió el niño, sonriendo, mientras le pasaba la mano por la cabeza.

Sí, aquel niño se parecía mucho, mucho, pero muchísimo, al que setenta años atrás la había llevado hasta el agua entre las manos.

Siguieron mirándose unos segundos.

Luego el chico se apartó y le dijo a Lula:

—Que tengas un buen viaje.

La tortuga reemprendió el camino rumbo al agua, despacio. Al llegar a ella y sentirse libre, se sumergió y nadó tan feliz como siempre.

Un par de veces sacó la cabeza a ras de agua.

El niño seguía allí, sonriendo y agitando la mano en alto.

¿QUÉ ES UNA TORTUGA?

Las tortugas son animales que gracias a sus adaptaciones han logrado sobrevivir desde antes de que los dinosaurios poblaran el planeta (es decir, millones y millones de años) hasta ahora.

Hay tortugas terrestres y tortugas acuáticas, tanto de agua dulce como de agua salada.

Las tortugas de agua dulce pueden pasar bastante tiempo en tierra firme, por lo que tienen patas adaptadas para ello. Las tortugas marinas, sin embargo, ya no tienen patas sino aletas, puesto que pasan toda su vida nadando, y pueden aguantar mucho la respiración debajo del agua.

¿CÓMO ES SU VIDA?

Son reptiles, es decir, son animales de sangre fría que necesitan el calor de su entorno para vivir. Por eso no encontraréis tortugas en sitios fríos. En los climas templados las tortugas hibernarán, es decir, pasarán el invierno enterradas o refugiadas en algún sitio.

Estos animales viven muchísimo, algunos hasta cien años. Son ovíparas, lo que significa que ponen huevos. Los incuban por el calor del sol. Las tortugas marinas los entierran en la playa y las crías salen todas a la vez y corren a meterse en el mar antes de que un depredador pueda atraparlas.

¿DÓNDE HAY TORTUGAS?

Las tortugas habitan prácticamente en todas las zonas templadas y cálidas del planeta. Las marinas ocupan mares tropicales, donde el agua está a más de 20°C. Solo encontraremos tortugas marinas a menos de esta temperatura si están migrando.

Además, los gustos de las tortugas varían con la edad. Un ejemplar de tortuga marina joven prefiere aguas profundas, mientras que las tortugas más viejas buscan las aguas más superficiales.

¿POR QUÉ CORREN PELIGRO DE EXTINCIÓN?

El hombre es el mayor peligro para estos animales que han sobrevivido durante millones de años en la Tierra. Todavía hoy día se capturan en gran número y se venden en mercados.

Las tortugas marinas quedan atrapadas con frecuencia en las redes de pesca y mueren. Además, se cazan por su carne o su concha.

Sus huevos se consideran un manjar en algunos países, lo que ha provocado mucho daño a sus poblaciones.

Rino, el rinoceronte

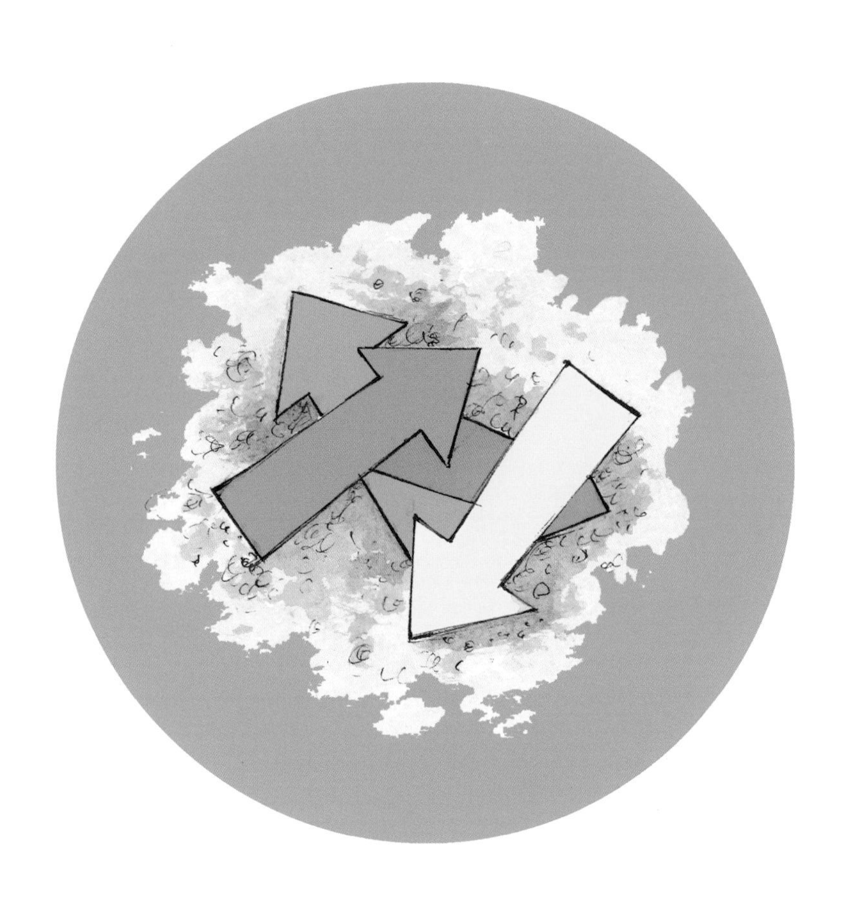

Rino, como todos los rinocerontes, era miope.

Pero no un poco miope, no.

Rino era MUY miope.

Vamos, que no veía mucho más allá de su cuerpo, y eso en días de sol.

En la selva, todos andaban preocupados, y mucho, porque Rino se estaba convirtiendo en un peligro.

Como era enorme y pesaba mucho, cuando tropezaba o chocaba con algo, el resultado era terrible. Podía pisar un hormiguero sin darse cuenta o derribar un árbol de un golpecito. Aunque por lo menos se le oía llegar, ya que a su paso el suelo se estremecía y por el aire se oía el BUM-BUM-BUM de sus pisadas.

—¡Silencio, Rino! —protestaban las mamás pájaro—. Como se despierten nuestras crías, abrirán la boca pidiendo comida, y hoy ya tenemos las alas molidas de tanto ir y venir.

—¡Cuidado, Rino! —exclamaban, asustados, todos los animales que vivían en los árboles—. ¡Vas a conseguir que nos caigamos!

Los monos, sin embargo, se le ponían delante y le hacían burlas, sacándole la lengua y riéndose de él sin el menor respeto.

—¡Rino! ¿Me ves? ¡Eee-ooo, Riiinooo!

La miopía de Rino también le había puesto en situaciones peligrosas. Un día confundió a Hipo, el hipopótamo, con su novia, Rina.

Rino creyó que la hermosa mole que se bañaba en el río era Rina, así que se lanzó de cabeza al agua y no solo le dijo a Hipo:

—¿Qué, tomando un bañito alegremente, eh? ¡Qué bien te lo pasas, amor mío!

Sino que además le pinchó con el cuerno sin darse cuenta. A Hipo el pinchazo le dolió, sí; y que le confundiera con Rina, también; y más aún que le tomara por una hembra, aunque fuese de otra especie. Pero lo que más molestó a Hipo fue que Rino insinuara que él era un gandul.

La consecuencia fue terrible: una pelea que casi arrasó la selva entera, hasta que Hipo y Rino se quedaron agotados.

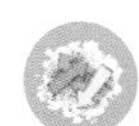

Los animales se reunieron inmediatamente.

—¡Hay que hacer algo! —dijo el ciervo Nervo.

—¡No podemos seguir así! —exclamó la lechuza Muza.

—¡Rino nos pone en peligro a todos! —dijo la serpiente Mente.

—¿Y qué vamos a hacer? —preguntó compungido el león Pantaleón, que era muy amigo de Rino—. No pretenderéis expulsarle, ¿verdad?

Se hizo un silencio de lo más espeso.

—¡Es él o nosotros! —gritó el topo Lopo, que siempre temía que todo se le cayera encima.

—Tengo una idea —terció entonces la cebra Enebra.

—¿De qué se trata? —quiso saber Pantaleón.

—Cerca del estanque hay unas tierras de colores. A todos nos gustan, ¿verdad? Cuando llueve los chimpancés se pintan el cuerpo de rojo, verde, azul, amarillo...

—¿Qué tiene que ver eso con Rino? —vaciló la urraca Paca.

—Muy sencillo: vamos a pintar los árboles a la altura de los ojos de Rino. Y hasta pondremos flechas. Rojo querrá decir que por ahí no puede pasar. Verde, que sí. Amarillo, que tenga precaución porque hay nidos o animales pequeños. Y marcaremos con azul las zonas del suelo donde haya madrigueras.

—¡Y a su novia le pondremos una buena mancha naranja en el trasero para que no la confunda conmigo! —remachó Hipo.

Todos los animales se pusieron manos a la obra, y fue un éxito.

Desde aquel día, la vida de Rino fue mucho más feliz. Si veía una mancha de color naranja, sabía que era su novia. Cuando un árbol tenía una marca roja, se detenía. Si quería beber, las señales verdes le indicaban el camino al río. ¡La de problemas que se ahorró!

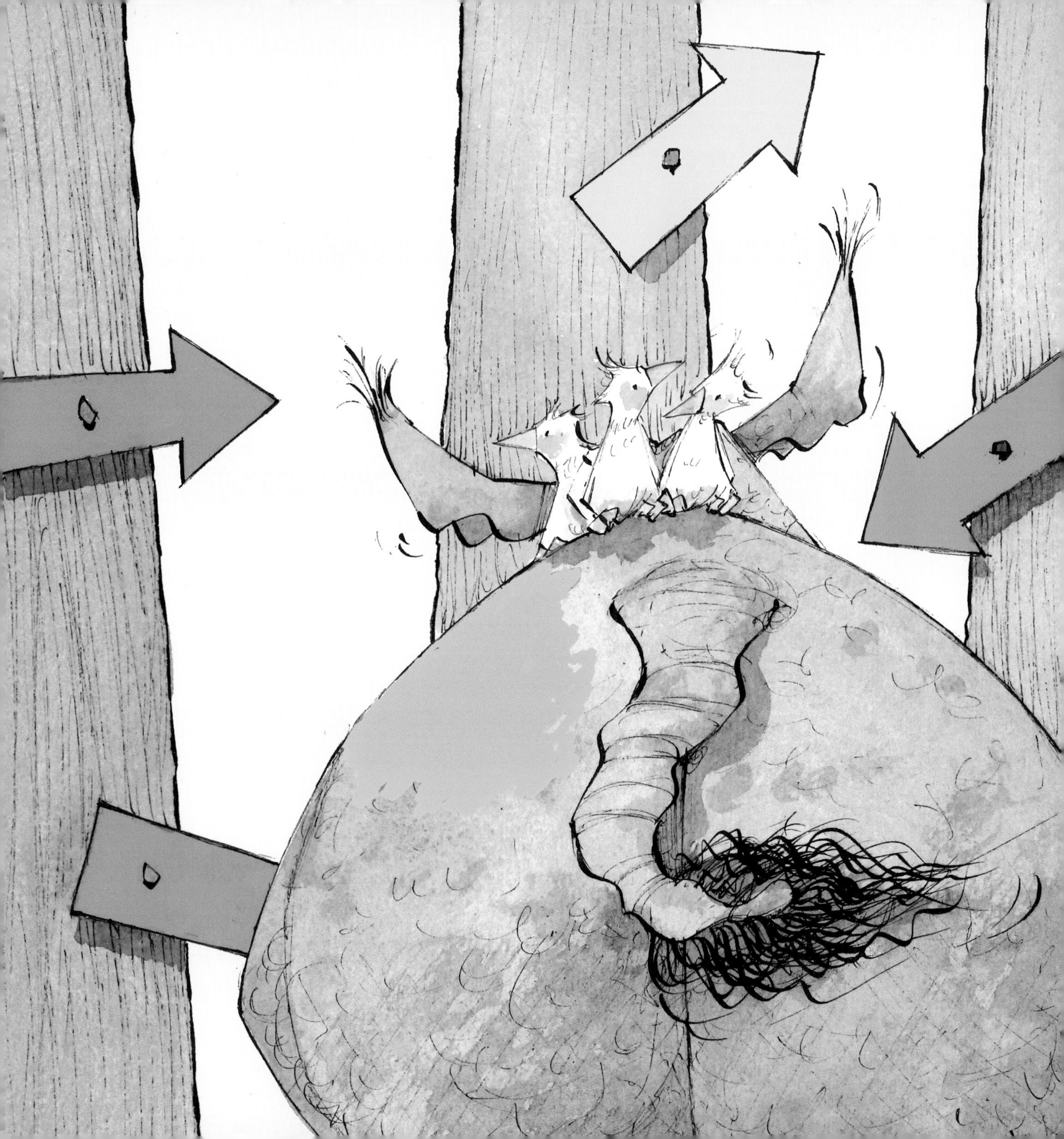

—Vaya, has adelgazado, estás muy bien —le dijo un día a Hipo.

Hipo se sintió muy feliz, porque sí, había adelgazado al menos un par de kilos y estaba seguro de que se le notaba.

Lo que no supo es que Rino le había confundido con Tantán, el orangután, que en ese momento bebía agua a unos metros de él.

Si un día vais por la selva y veis un montón de señales de colores, cuidado: ahí vive Rino. Puede confundiros con cualquier cosa.

¿QUÉ ES UN RINOCERONTE?

El rinoceronte, después del elefante, es el mayor mamífero terrestre del planeta. Es vegetariano porque solo come hierba y, a veces, ramaje. Tiene un oído y un olfato muy buenos, mucho mejores que su vista. Es un animal longevo que puede vivir hasta sesenta años. Lo caracteriza un único cuerno que se levanta sobre su hocico. Ese cuerno es del mismo material que nuestro pelo, de queratina. Los machos adultos más grandes pueden llegar a pesar 3.600 Kilos y sus bebés nacen pesando unos 60. ¡Casi veinte veces más que los bebés humanos!

¿CÓMO ES SU VIDA?

Su vida es tranquila y solitaria.
Las hembras jóvenes suelen vivir con otras hembras en pequeños grupos, pero cuando son mamás se quedan solas con su cría.
Los machos son muy territoriales, por eso ni les gusta ni permiten que haya ningún otro rinoceronte en la zona donde ellos viven.
El rinoceronte blanco es el más sociable de las cinco especies de rinocerontes que existen.

¿DÓNDE HAY RINOCERONTES?

Hay rinocerontes de cinco especies distintas en cinco sitios del mundo, pero en dos únicos continentes: África y Asia. En África viven dos especies: el rinoceronte negro y el rinoceronte blanco. Este es el más grande de los dos. En Asia viven las otras tres especies: el rinoceronte de Java, el rinoceronte de Sumatra y el rinoceronte de la India. Este último es el más grande de los asiáticos, y el que tiene ese cuerpo tan raro que parece una armadura de caballero medieval.

¿POR QUÉ CORREN PELIGRO DE EXTINCIÓN?

Los rinocerontes están en peligro de extinción, sobre todo en Asia, porque hay gente que los mata para conseguir su cuerno. ¿Y para qué lo quieren? Para hacer medicinas que no son tales, pues no curan ninguna enfermedad. Debido a este problema, el rinoceronte de Java es el más amenazado y está a punto de extinguirse en libertad.
La mejor idea para protegér a los rinocerontes es dormirlos y recortarles el cuerno de vez en cuando.
Así, a los cazadores furtivos ya no les interesan y no los matan.

Índice

Pimpán no podia creerlo.

—¿Habéis venido a rescatarme?

—¡Pues claro, no íbamos a dejar que se te llevaran! —le dijo el buho, aleteando sobre su cabeza.

—Pero ¿no os molestaba y deciais que era superpesado?

—Las cosas no se arreglan quitándose los problemas de en medio, sino solucionándolos —le hizo ver el buho—. Te toca a ti aprender la lección. En la selva, todos dependemos de todos.

Desde aquel dia Pimpán cambio.

Bueno, no dejó de hacer un poco el loco, pero tuvo más cuidado. O al menos lo intentó.

Por ejemplo, si dejaba caer una boñiga desde lo alto y le daba al topo en toda la cabeza, por lo menos bajaba, pedia perdon y le limpiaba.

Este libro se terminó de imprimir en octubre de 2016

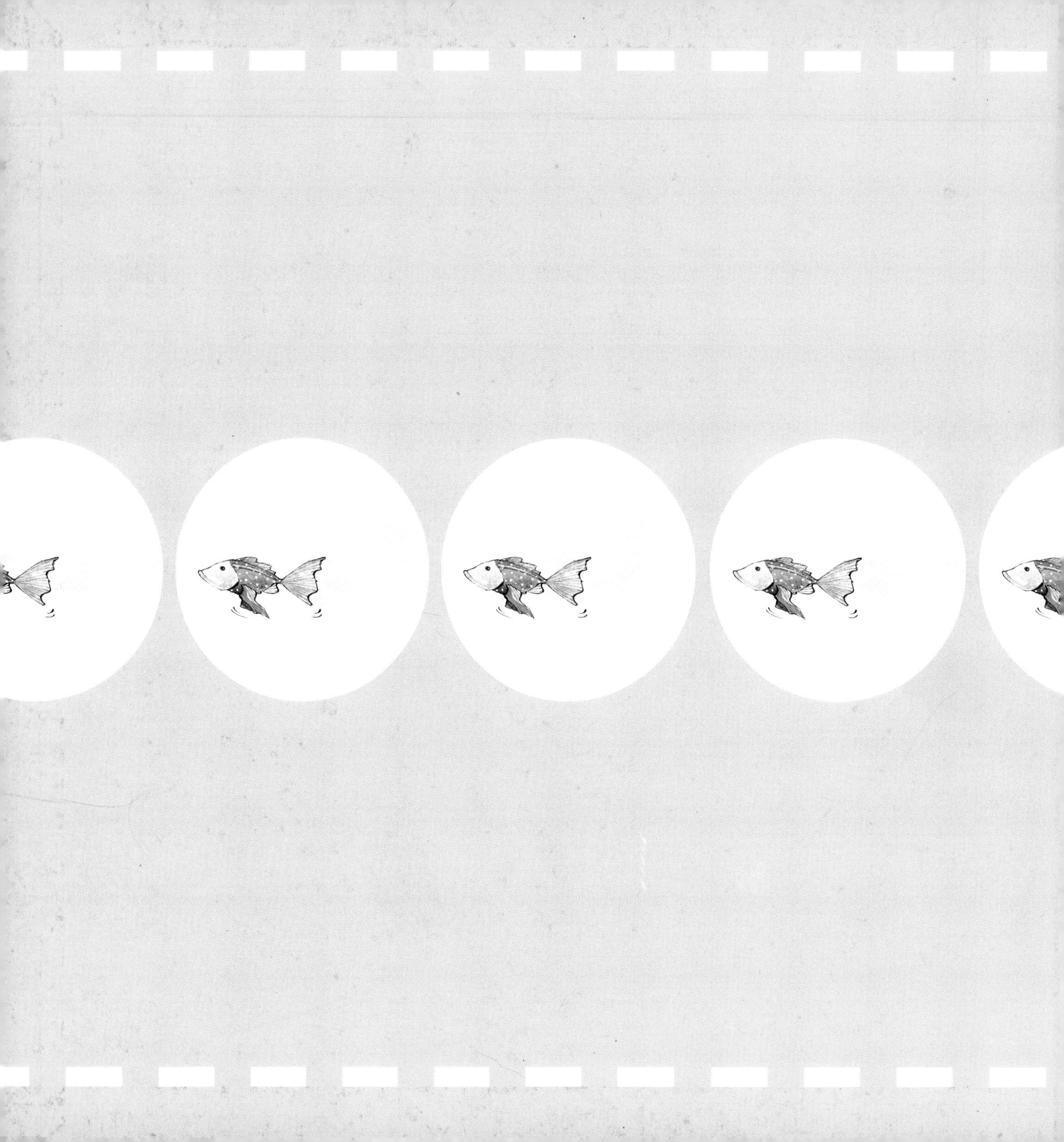